Das Schönste

der

Spanischen
Hofreitschule

VERLAG
FRITZ
MOLDEN

The Spanish Riding School of Vienna

La Haute École Espagnole de Vienne

Das Schönste aus der Spanischen Hofreitschule

Handler/Lessing

Verlag Fritz Molden · Wien-München-Zürich

Mit 85 Farbbildern

Der Farbbildteil dieses Buches wurde nach dem Standardwerk „Die Spanische Hofreitschule zu Wien" von Hans Handler/Erich Lessing, erschienen im Verlag Fritz Molden, Wien-München-Zürich, zusammengestellt.

1. Auflage
1.—15. Tausend, Jänner 1975

2. Auflage
16.—20. Tausend, April 1976

3. Auflage
21.—28. Tausend, Jänner 1977

4. Auflage
29.—33. Tausend, April 1978

5. Auflage
34.—38. Tausend, Februar 1979

Redaktion: Leo Mazakarini
Umschlag: Hans Schaumberger, Wien
Technischer Betreuer: Alfred Rankel
Gesamtherstellung: Brüder Rosenbaum, Wien
ISBN: 3-217-00634-8

Lipizzaner...

Die Spanische Reitschule in Wien ist das einzige Reitinstitut der Welt, in dem seit vierhundert Jahren klassische Reitkunst in reinster Form gepflegt und die Ausbildung nach jahrhundertelang vor allem mündlich überlieferten Methoden durchgeführt wird. Ihr Wert liegt im Niveau des Gezeigten, das mit jedem neu ausgebildeten Pferd neu erarbeitet werden muß. Fragt man nach dem Sinn einer Einrichtung, wie sie die Spanische Reitschule heute darstellt, in einer Zeit, da der Mensch zum Mond fährt, in der Effekthascherei und Konsumdenken nahezu auf allen Gebieten des Lebens im Vordergrund stehen, so lautet eine Antwort: Kunst, die zweite: Zucht — oder auch umgekehrt. Die Reihung scheint im Angesicht der zentaurischen Muse bedeutungslos. Verschmolzen sind Mensch und Tier zu einer künstlerischen Persönlichkeit, und diese entfaltet sich, dem Gesetz ihres höheren Daseins folgend, auch dann, wenn der Claqueur fehlt. Den Traum der Schönheit verwirklicht der Träumende für sich selbst, und wenn er ihn weitergibt, so geschieht dies, wie wenn im Herbst ein Blatt zu Boden fällt, gleichsam zufällig. Dem Adel der Kunst aber entspricht der Adel der Zucht. Zeugung, die sich nicht erschöpft im Augenblick, sondern dem Gestern und dem Morgen verpflichtet bleibt. Der in der Hohen Schule vielfach bewährte Hengst kehrt in das Gestüt zurück, um seinen Adel, seine Kraft, sein Temperament und sein Talent weiterzuvererben.

In den „Directiven für die Durchführung des methodischen Vorganges bei der Ausbildung von Reiter und Pferd in der . u. k. Spanischen Hofreitschule", verfaßt von Feldmarschalleutnant Franz Holbein von Holbeinsberg und Oberbereiter Johann Meixner (1898), die auch heute ihre volle Gültigkeit haben, heißt es: „Die Reitkunst in ihrer höchsten Vollendung zu erhalten und den Anschauungen und Bedürfnissen der Jetztzeit in vollem Maße Rechnung zu tragen, der höheren Reitkunst stets neue Geltung zu verschaffen", sei seit jeher die Aufgabe der Spanischen Reitschule gewesen. So ist es noch, und so soll es auch bleiben.

The Spanish Riding School in Vienna is the only institution in the world to have cultivated the classical art of riding in its purest form for the past 400 years, and to have conducted its training for centuries according to methods passed down by word of mouth. When asked to defend an institution such as the Spanish Riding School in times when men are being rocketed to the moon, and instant gratification and materialism permeate nearly every aspect of our lives, one can only appeal to vague abstracts like Art and Breeding—or Breeding and Art; in the realm of the centaur one is as important as the other. For here man and beast are united in a single creative personality, whether or not an audience is present. Just as there is nobility in art, so there is nobility in breeding, qualities which are not ephemeral but are linked to both the past and the future. A stallion proved himself through all the rigors of the High School, then returns to the stud he came from to pass on to another his nobility, his strength, his temperament, and his talent.

If the Spanish Riding School hopes to remain the mecca of dressage riding, it must stay true to the demands of the High School. In the "Directives" of Holbein von Holbeinsberg one reads that the task of the Spanish Riding School must be "to preserve the art of riding at its ultimate perfection, and with an eye to the conventions and requirements of the present to further in every way the cause of the High School." This remains our task today, and it will continue to be our task in the future.

L'Ecole Espagnole de Vienne est le seul institut du monde où l'équitation académique soit, sous sa forme la plus pure, sauvegardée depuis quatre siècles. Son enseignement se pratique selon des méthodes ancestrales qui sont transmises avant tout oralement. Sa valeur réside avant tout dans la qualité de ce qu'elle représente, qualité qui doit être obtenue de tous la chevaux formés à la haute école. Quel peut être le sens d'une institution semblable dans une époque où l'homme va sur la lune, où dans presque tous les domaines la valeur est attribuée aux seuls effets extérieurs, et où la pensée est dominée par la recherche du profit? Une première réponse pourrait s'appeler *l'art*, et la seconde *l'élevage*. Peu importe l'ordre indiqué; homme et cheval se fondent en une seule personnalité artistique et s'épanouissent selon les lois de leur art commun. Le rêveur réalise son désir de beauté, et, s'il le transmet à d'autres, c'est comme lorsque en automne une feuille se détache d'un arbre et tombe: au hasard et sans préméditation. A la noblesse de cet art correspond la discipline dans l'élevage, une procréation qui ne se suffit pas à elle-même, mais pui tient compte et du passé et de l'avenier. Sous le signe de l'éternel «meurs et deviens» le cercle se referme et l'étalon, mille fois consacré à la haute école, revient au haras transmettre sa dignité, sa vigneur, son tempérament et ses talents.

Nous citerons le passage d'un ouvrage publié en 1898, dû à la collaboration du lieutenant-maréchal Franz Holbein von Holbeinsberg et du maître-écuyer Johann Meixner, intitulé Directives pour l'application du procédé méthodique à la formation du Cavalier et de la monture dans l'Ecole Espagnole impériale et royale: «Conserver à l'art èquestre la plus haute perfection; tenir compte pleinement des impératifs de l'heure présente; étendre la pratique de l'art de l'équitation.» Cette mission impartie par les deux auteurs à l'Ecole Espagnole garde toute sa signification et il faut la remplir, maintenant et plus encore à l'avenir si c'est possible.

Zucht in Piber

The Piber Stud
Piber

Auf der Alm : Während ihrer ersten dreieinhalb Lebensjahre verbringen die Lipizzaner alljährlich die Zeit zwischen Mai und September auf den zum Gestüt Piber gehörenden Almen.

The high meadow : Until they are three and a half years old Lipizzaners spend each summer, from May to September, on these pastures, belonging to the Piber Stud.

Sur l'alpage. Jusqu'à l'âge de trois ans et demi les Lipizzans passent tout l'été «au vert», de mai à septembre. Les pâturages qui appartiennent au haras de Piber sont à 1.600 mètres d'altitude.

Im übermütigen Spiel : Oft zeigen sich hier bereits Ansätze zu Sprüngen, die später zu den „Schulen über der Erde" entwickelt werden können.

Exuberant play : Awkward leaps can later be developed during training at the Spanish Riding School into the "Schools above the ground".

Jeux libres. On y voit souvent le début des sauts qui, plus tard, pourront se transformer en «airs relevés» de haute école.

Auf der „Hengstalm" : In der Nähe des „Soldaten-hauses" grasende Pferde.

On the "Hengstalm" : Horses grazing near the Soldiers' House.

Sur la «Hengstalm», l'alpage des étalons. Chevaux au pâturage aux environs de la Maison du Soldat.

Bewegung : Die Pferde galoppieren über den steinigen Almboden. Dabei erwerben sie entsprechende Trittfestigkeit.

Motion : The horses develop surefootedness as they gallop across the rocky slopes.

Exercices. Les animaux galopent sur le sol pierreux et, de ce fait, ils acquièrent une franche démarche.

Auf der Weide : Lipizzanerstuten auf der sogenannten Bachweide in unmittelbarer Nähe des Renaissanceschlosses Piber, in dem seit 1798 die Gestütsdirektion untergebracht ist.

Out to pasture : Lipizzaner mares in the Brook Pasture near the renaissance Piber castle, which has served as the stud headquarters since 1798.

Dans les prés. Juments lipizzanes à la Bachweide (pré du ruisseau), près du château de Piber, de style renaissance, où siège, depuis 1798, la direction du haras.

Fast 350 Jahre lang wurden die berühmte spanischen Pferde in dem winzigen Karsto gezüchtet, von dem sie ihren Namen habei die Lipizzaner aus Lipizza (im heutige Nordwestjugoslawien). Gestüt und O waren untrennbar miteinander verbunde Aber 1918 zerfiel die österreichisch-ungar sche Monarchie, und damit schien auch d Ende des ältesten in Europa gezüchtete Kulturpferdes gekommen zu sein. Zw Jahre lang dauerte das Tauziehen zwische Italien und Österreich, die beide Ansprüch auf das Gestüt stellten. Dann teilte man de Gesamtbestand der Lipizzaner; der öste reichische Teil erhielt eine neue Heimat i steiermärkischen Piber.

For almost 350 years the famous Spanis horses have been bred in the tiny hamle in the Karst from which they derive the name: Lipizzaners from Lipizza (the nort western part of modern Yugoslavia). Th stud and the place were inseparable. But was not to be. In 1918 the Austro-Hungaria monarchy fell, and its fall seemed to spe the end for Europe's oldest breed of scho horses. Negotiations between Italy an Austria dragged on for two more year with both countries laying claim to the stu At last the Lipizzaners were divided betwee them, and the Austrian share was moved t a new home at Piber in Styria.

Pendant près de 350 ans ces célèbres cheva furent élevés dans le village minuscule Lipizza, au Karst, qui leur donna le no qu'ils portent toujours: les Lipizzans (L pizza — aujourd'hui en Slovénie). Da ce cas précis, lieu et haras sont inséparable Mais tout n'était que leurre. La monarch austro-hongroise se désagrégea en 1918 le glas sembla sonner pour l'une des plu anciennes races de chevaux d'Europe. fallut deux ans de conflit entre l'Italie l'Autriche — l'un et l'autre pays faisa valoir des droits sur le haras — pou trouver une solution: le partage Lipizzans. C'est ainsi que la nouvelle patr des Lipizzans autrichiens devint Piber, da la province autrichienne de Styrie.

Klassische Reitkunst
Classical Art of Riding
L'art equestre classique

Über die Entwicklung der Reitkultur im Laufe der Geschichte wissen wir vieles aus den Werken berühmter Reitmeister, eines Xenophon, eines Grisone, eines Pluvinel, eines Guérinière etwa, aber auch aus künstlerischen Darstellungen, aus Gemälden, Plastiken und alten Stichen. Hohe Schule wurde praktisch an allen Fürstenhöfen geritten und gelehrt. So wichtig diese Lehrmeinungen und Schulen auch sein mögen, sie wären heute illusorisch, gäbe es nicht zumindest eine einzige Stätte, wo sie auch praktiziert werden: die Spanische Reitschule in Wien.

We know a great deal about the development of riding from the works of famous riding masters, such as Xenophon, Grisone, Pluvinel, and Guérinière, and from artistic representations in paintings, sculptures, and old engravings. The High School was cultivated and taught at nearly all the princely courts of Europe at one time or another. But however important the various theories and schools may have been, they would seem totally illusory today were there not at least this one place where they are still practiced: The Spanish Riding School of Vienna.

Nous sommes parfaitement renseignés sur le développement de l'art équestre à travers l'histoire grâce, d'une part, aux traités de maîtres-écuyers célèbres tels Xenophon, Grisone, Pluvinel et La Guérinière, d'autre part aux œuvres d'art: statues, tableaux et gravures. Il convient toutefois, pour les bien apprécier, de situer les manuels d'équitation dans le contexte général de l'époque où ils ont été rédigés. La haute école fut pratiquée et enseignée dans la plupart des cours d'Europe; mais quelle qu'ait été l'importance des écoles et des doctrines elles seraient aujourd'hui parfaitement périmées s'il n'existait pas au monde un endroit où l'on s'est attaché à garder vivante leur application : L'Ecole Espagnole de Vienne.

Mythologie : Schon in der Schatzkammer des Kaisers Matthias lag dieser wahrscheinlich aus dem dreizehnten Jahrhundert stammende Cameo, eine allegorische Darstellung der Isthmischen Spiele.
Mythology : This cameo, dating probably from the thirteenth century, shows an allegorical representation of the Isthmian Games. It has been in the collection on the imperial family since the reign of emperor Matthias.
Mythologie. Ce camée, dont l'origine remonte peut-être au treizième siècle, était dans le trésor de l'empereur Matthias. C'est une allégorie des jeux isthmiques.

Pluvinel : Diese Brüsseler Tapisserie, gewirkt nach einem Entwurf von Jakob Jordaens, gehört einem Zyklus von acht Teppichen an. Sie stellt den Reitunterricht König Ludwigs XIII. von Frankreich dar.
Pluvinel : This tapestry from Brussels, executed from a design by Jakob Jordaens, is one of a series of eight panels representing Louis XIII of France at his riding lessons.
Pluvinel. Tapisserie bruxelloise exécutée d'après un carton de Jacob Jordaens. Elle représente une leçon d'équitation donnée au jeune Louis XIII.

Renaissance : Nach einer Skizze Leonardo da Vincis wurde diese oft als „schönste Reiterdarstellung" bezeichnete Bronzeplastik unter Aufsicht des Meisters geschaffen. Das Werk befindet sich heute im Museum der bildenden Künste in Budapest.
Renaissance : Often called "the world's most beautiful equestrian statue", this bronze sculpture was based on a sketch by Leonardo da Vinci and created under the master's supervision. It stands today in the Museum of Fine Arts in Budapest.
Renaissance. Sculpture en bronze qu'on a souvent qualifiée de «plus belle statue équestre». Exécutée d'après une esquisse et sous la direction de Léonard de Vinci. Elle est aujourd'hui au musée des Beaux-Arts de Budapest.

Die Geschichte der Spanischen Reitschule

The History of the Imperial Riding School
Histoire de l'Ecole Espagnole

Kaiser Karl VI.: Matthias Steinle (1645—1727) schuf im Jahre 1711 diese herrliche Elfenbeinarbeit: Karl VI. sitzt auf einem levadierenden

Lipizzaner und weist auf die Darstellung der „Austria" hin.
Emperor Charles VI: This exquisite ivory carving was created in 1711 by Matthias Steinle (1645—1727). The emperor, mounted on a Lipizzaner performing a levade, points to a representation of Austria.
L'empereur Charles VI. Très bel ivoire de Matthias Steinle (1645—1727) qui le sculpta en 1711. Le souverain monte un Lipizzan faisant une levade et regarde une statue qui représente l'Autriche.

Damenkarussell: Meytens schuf das heute im „Karussellzimmer" des Schlosses Schönbrunn aufbewahrte Bild „Damenkarussell des Wiener Hofes in der Spanischen Hofreitschule". Dieses anläßlich der Wiedereinnahme der Stadt Prag im Schlesischen Krieg veranstaltete Fest (2. Jänner 1743) wurde

von Maria Theresia angeführt. Maria Theresia war seit Juni 1741 Königin von Ungarn, wurde im Mai 1743 Königin von Böhmen und 1745, als Gemahlin Franz I. Stephan von Lothringen, Kaiserin.
The Damenkarussell: This painting, "The Ladies' Carrousel at the Viennese Court", by Meytens, hangs in the Carrousel Room at Schönbrunn. The spectacle took place on January 2, 1743, in the Spanish Riding School, and was staged by Maria

Theresa to celebrate the recapture of Prague from the Prussians. Maria Theresa had been queen of Hungary since June 1741, would become queen of Bohemia in May 1743 and, as the wife of Franz I Stephan of Lorraine, empress in 1745.
Le carrousel des dames. Œuvre de Martin van Meytens, ce «carrousel des dames de la cour de Vienne» est aujourd'hui dans la salle du carrousel du château de Schönbrunn. La fête, conduite par Marie-Thérèse, eut lieu de 2 janvier 1743 à l'occasion de la reconquête de la ville de Prague, pendant la guerre de Silésie. Reine de Hongrie en juin 1741, reine de Bohême en mai 1743, Marie-Thérèse devint impératrice par son mariage avec François Ier Etienne de Lorraine.

Der Reichstag: Am 22. Juli 1848 eröffnete Reichsverweser Erzherzog Johann in der Winterreitschule die konstituierende Versammlung des ersten Reichstages der Monarchie, der allerdings nur kurze Zeit in dem zu diesem Zweck neu adaptierten Saal tagte, im Herbst nach Kremsier (Mähren)

übersiedelte und keine wesentliche Rolle mehr spielte. Lithographie von J. Albrecht, handkoloriert.
The Imperial Diet: On July 22, 1848, the new imperial administrator, archduke Johann, opened the organizational meeting of the monarchy's first Imperial Diet in the Winter Riding School. The hall had been hastily remodeled for this purpose, but the powerless body would not convene there long, for that fall it was moved to Kremsier in Moravia. The hand-tinted lithograph is by J. Albrecht.
Le parlement. L'archiduc Jean préside le 22 julliet 1848 la première assemblée constituante de la monarchie, dans le manège d'hiver. La salle avait été spécialement aménagée pour le parlement, qui n'y tint que peu de séances avant son installation à Kremsier, en Moravie, dès l'automne de la même année. Cette assemblée ne joua d'ailleurs aucun rôle important. Lithographie de J. Albrecht, coloriée à la main.

Das erste uns überlieferte Dokument, das von einem „Spanischen Reithsall" berichtet stammt aus dem Jahre 1572. Damals wurde in unmittelbarer Nähe der Wiener Hofburg entweder eine bereits bestehende hölzerne Reitbahn ausgebessert oder neu errichtet Mehr als 150 Jahre liegen zwischen der erstmaligen Erwähnung des „Spanischen Reithsalls" und der Vollendung der Winterreitschule (1735), wie die Reitbahn genannt wird. Immer wieder wurde die Reitbahn, der größte Saal der Stadt, auch für ihren eigentlichen Zweck fremde Veranstaltungen verwendet: angefangen vom großen Damenkarussell (1743), mit der Kaiserin Maria Theresia an der Spitze, über Konzertaufführungen, Bälle und Festlichkeiten während des Wiener Kongresses später bis zu den Gewerbeproduktenausstellungen und der Tagung des ersten österreichischen Reichstages (1848) gab die Halle den großartigen Schauplatz ab. Die Vorführungen blieben bis zum Ende des Ersten Weltkrieges dem Herrscherhaus und seinen Gästen vorbehalten. Das Ende des Ersten Weltkrieges markiert wohl die größte Zäsur in der Geschichte der „Spanischen". Nicht betroffen vom Zusammenbruch der Monarchie war ihr großes Erbe die klassische Reitkunst; wohl aber der Weg, den das Institut nun zu gehen hatte um den Hafer für die Pferde zu verdienen Gastspielreisen mußten die Schule einem breiteren Publikum bekannt machen.

The first documentary reference to a "Spanischer Reithsall" ("Spanish Riding Hall") dates from 1572, with mention of a wooden arena which was then being built, or possibly only repaired, next to the imperial palace. More than 150 years were to pass between the first mention of what must have been only a very primitive arena for these horses in Vienna and the building of the splendid manège traditionally called the "Winterreitschule" (Winter Riding School). The arena of the Riding School, as the largest hall in the city, was frequently used for events having nothing to do with riding. Beginning with Maria Theresa's elegant "Ladies' Carrousel" in

1743, this hall has been the setting for countless notable events both festive and serious; it has seen concerts, court balls, mock tournaments, trade fairs, and the first debates of the fledgling Imperial Diet. Until the end of the First World War its performances were enjoyed exclusively by members of the ruling family and their guests. The end of the First World War marked a definite caesura in the history of the School. Its great heritage of classical riding could not be threatened, even by the collapse of the monarchy, but without its traditional protector, the Emperor, the School, so to speak, had to find ways to earn its own oats: Now it became necessary to create broader support through public performances and guest performances.

Le premier document connu faisant état d'un «maneige espagnol» date de l'an 1572; à l'époque, un manège en bois, déjà existant, avait dû être restauré, ou un nouveau manège édifié. Une période de plus de cent cinquante ans s'étend entre la première mention du «maneige espagnol» à la place du manège ouvert, et l'avènement du «manège d'hiver» (1735). On eut souvent l'occasion d'utiliser cette salle due manège — la plus grande de la capitale — pour des manifestations n'ayant aucun rapport avec sa véritable destination: d'abord en 1743 le grand carrousel des dames dirigé par Marie-Thérèse, et depuis les soirées de concert, les bals et les fêtes à l'occasion du Congrès de Vienne, jusqu'aux expositions industrielles et à la réunion du premier parlement autrichien en 1848. Tous événements auxquels le grand manège avait prêté son cadre. Jusqu'à la fin de la Première Guerre mondiale les présentations étaient réservées à la Maison impériale et à ses hôtes. La fin de la Première Guerre mondiale marqua en 1918 une coupure dans l'histoire de l'Ecole Espagnole de Vienne, mais son prestigieux héritage, l'équitation classique, ne fut pas affecté par l'effondrement de l'empire austro-hongrois. Après la perte de son maître suprême l'institut fut obligé toutefois de se reconvertir pour gagner l'avoine de ses chevaux.

▲

Kongreßkarussell: Vor den „Hohen Alliierten" fand — gleichsam als Auftakt zum Wiener Kongreß — im November 1814 in der Reitbahn ein prunkvolles Pferdekarussell in Anwesenheit der damals in Wien versammelten Herrscher und Minister statt. Aquarell von Johann Nepomuk Höchle.
A carrousel for the congress: One of the opening ceremonies of the Congress of Vienna was an elaborate horse carrousel in the Winter Riding School attended by the numerous heads of state and foreign ministers assembled in Vienna in November 1814. Watercolor by Johann Nepomuk Höchle.
Le carrousel du congrès. En novembre 1814, et pour préluder au Congrès de Vienne, on organisa un fastueux carrousel de chevaux en l'honneur des souverains, chefs d'Etat et de gouvernements des puissances alliées réunis dans la capitale. Aquarelle de Johann Nepomuk Höchle.

Musikfeste: In der Winterreitschule wurden in der ersten Hälfte des vorigen Jahrhunderts eine Reihe großartiger Konzerte gegeben. Eines davon führte zur Gründung der „Gesellschaft der Musikfreunde".
Music festivals: Through the first half of the nineteenth century a series of extravagant concerts was

held in the Winter Riding School. One of these led to the founding of the Viennese Society of the Friends of Music (Gesellschaft der Musikfreunde).
Festivals de musique. La première moitié du dix-neuvième siècle vit se dérouler dans le manège

d'hiver une série de prestigieux concerts. L'un d'eux fut à l'origine de la Société des Amis de la Musique («Gesellschaft der Musikfreunde»).

▲

Der Alltag: „Morgenarbeit" in der Winterreitschule um 1890. Gemälde von Julius von Blaas.
Daily routine: Morning training in the Winter Riding School c. 1890. Oil painting by Julius von Blaas.
La vie quotidienne. «Travail du matin», au manège d'hiver, vers 1890. Tableau de Julius von Blaas.

Wiener Barock: Blick gegen einen Seitentrakt der Nationalbibliothek, der, abweichend vom Fischer von Erlachschen Plan, von Nikolaus Paccassi zwischen 1767 und 1773 erbaut wurde. Hier ist

auch der Publikumseingang zu den Vorführungen der Spanischen Reitschule.
Viennese baroque: View of the side wing of the National Library, completed between 1767 and 1773 by Nikolaus Paccassi, who modified the original plans of Fischer von Erlach. Visitors to performances of the Riding School use this entrance.
Baroque viennois. Statue équestre de l'empereur Joseph II, exécutée de 1797 à 1807 par Franz Anton Zauner. Au fond, une aile de la Bibliothèque nationale construite par Nikolaus Paccassi d'après le plans de Fischer von Erlach.

Ausbildung
Training
L'entrainement

▲

In der Stallburg eintreffende Junghengste : Alljährlich, Ende Oktober, Anfang November, treffen in Wien acht bis zehn Junghengste aus dem Gestüt Piber ein. Der Leiter der Schule begrüßt die Hengste und nimmt die Meldung des Stallmeisters entgegen.
Young stallions arriving at the Stallburg : Each year, at the end of October or the beginning of November, eight to ten young stallions arrive from the Piber Stud. The director of the school greets the newcomers, and receives a report from the stable-master.
Arrivée de nouveaux étalons à la Stallburg. Vers la fin d'octobre ou le début de novembre, huit à dix étalons du haras de Piber arrivent chaque année à Vienne. Le directeur les accueille et prend note du rapport de l'intendant.

Das Longieren der Junghengste : Nachdem die Hengste zwei bis drei Wochen zur Akklimatisierung unter Aufsicht der Bereiter in der Reitbahn frei gelaufen

sind, beginnt die Longearbeit. Sie erstreckt sich über acht bis zwölf Wochen.
Longeing the young stallions : After the horses have been allowed to run free in the arena under the watchful eyes of the trainers for two to three weeks, work on the longe can begin and continues for from eight to twelve weeks.
Mise à la longe des jeunes étalons. Après s'être acclimatés au manège en y courant librement sous

la surveillance des écuyers pendant deux à trois semaines, le chevaux commencent le travail à la longe. Cela dure huit à douze semaines.

Das erste Aufsitzen : Gegen Ende der Ausbildungszeit an der Longe wird das Pferd — jeweils vor Beendigung der Arbeit — in die Kreismitte geführt. Der Peitschenführer hat die Gerte weggelegt und hebt, ganz nahe an die Seite des Pferdes tretend, den Reiter einige Male hoch, wobei dieser sich mit beiden Händen auf dem Sattel aufstützt. Im weiteren Verlauf läßt der Reiter sein ganzes Körpergewicht auf den Sattel nieder: das Pferd wird veranlaßt, einige Schritte vorwärts zu treten. Dann wird das Bein über den Sattel gehoben, und schließlich sitzt der Reiter auf dem Pferderücken.
Mounting for the first time : Near the close of the longeing period, and at the end of a given day's lesson, the horse is led into the center of the circle. The trainer lays his crop aside and steps

in close to the horse. He then lifts the rider several times while the latter braces himself briefly against the saddle with his hands. After gradually increasing the pressure on the saddle, the rider finally applies all his weight, and the horse is urged to take a few steps forward before the rider is again lowered to the ground. Then the rider lays his legs across the saddle and eases himself on to the horse's back.
La leçon au montoir. Vers la fin de la période de dressage à la longe, le cheval est amené au milieu du cercle, chaque fois, avant que le travail soit terminé. Un aide attend avec la vannette d'avoine pour récompenser la bonne volonté du cheval à la fin de son travail. La chambrière déposée l'aide s'approche de la bête et soulève plusieurs fois le cavalier qui s'appuie d'abord avec ses deux mains sur la selle, puis pèse de tout son poids sur celle-ci; le cheval est alors invité à faire quelques pas en avant. Le cavalier enjambe alors l'animal pour se mettre en selle et il fait quelques pas en avant sur le dos du cheval.

Die Ausbildung des Pferdes und die Aus bildung des Reiters sind zwei getrenn verlaufende, jedoch stets miteinander i Einklang stehende Vorgänge. Jeder ver sucht aber, die psychischen und physische Anlagen sowohl beim Menschen als auc beim Tier voll zu entfalten und weiter z entwickeln. An der Spanischen Reitschul geht man seit Jahrhunderten erprobt Wege. Unter möglichster Schonung de bei der Ausbildung äußerst beanspruchte Beine des Pferdes sollen die Übungen de Hohen Schule erlernt werden. Zugleic ist auf die Gewährleistung einer möglichs langen Lebensspanne des Pferdes Rücksich zu nehmen. Die Ausbildungsziele und -methoden sowie ihre Umsetzung in di Praxis werden in der Spanischen Reitschul von Bereitergeneration zu Bereitergenera tion mündlich weitergegeben. Die Wege um auch zur „Seele" von Mensch und Tie zu finden, sind so vielfältig wie zahlreic und verlangen grundsätzliche Kenntniss über Menschen- und Tierpsychologie, zu dem ein gerüttelt Maß an Erfahrung. Da erreichbare Niveau hängt natürlich vo der Veranlagung des Schülers — Mensc wie Pferd — ab. Ein Pferd, das durch di Ausbildung nicht schöner in seinen Körper formen, stolzer in seiner Haltung, auf merksamer in seinem Gehaben wird, de man nicht die Freude über sein eigene Können am Spiel der Ohren und im Aus druck der Augen ansieht, wurde dressier und nicht im klassischen Sinn ausgebildet

Training horses and training riders are tw separate but mutually dependent proce dures. Each discipline seeks to develop t the fullest the mental and physical resource of its pupils. Every school of riding ha its own characteristic methods and exercises but at the Spanish Riding School we follow a course laid down centuries ago. The goal of training and methods for achieving them in practice have been handed down from generation to generation of trainers at th Spanish Riding School. The way to succes in the physical aspect of training is charted in traditional procedures and in the choice and arrangement of the various exercises, and is based on long experience. Accomplishment in every case—or by man or animal—depends upon the apitudes of the pupil. If training has not made a horse more beautiful, nobler in his carriage, more attentive in his behavior, revealing pleasure in his own accomplishment with a twitching of his ears and a lively expression in his eyes, he may have been "dressed", but he has not been truly schooled, in the classical sense of dressage.

L'éducation du cheval et celle du cavalier sont deux notions différentes bien que complémentaires. Leur but est d'épanouir et de développer les facultés morales et physiques de l'homme et de l'animal. A l'Ecole Espagnole nous suivons des procédés éprouvés pendant des siècles et nous apprenons au cheval les exercices de haute école, tout en ménageant ses membres qui sont soumis aux plus grands efforts dans la période de formation. Au surplus nous nous attachons à lui assurer une vie aussi longue que possible. A l'Ecole Espagnole de Vienne les buts et les méthodes de dressage ainsi que leur mise un pratique sont transmis oralement d'une génération d'écuyers à une autre. Les moyens d'établir un lien entre l'âme de l'homme et celle de l'animal sont aussi nombreux que divergents. Ils exigent des connaissances approfondies des psychologies humaine et animale avec, en outre, une grande expérience. Certes le résultat final dépendra des aptitudes de l'élève, homme ou cheval. Un cheval qui, au cours de sa formation, ne devient pas plus beau, qui n'adopte pas une allure plus noble, un comportement plus attentif, un cheval dont la joie ne se traduit pas dans les mouvements des oreilles ou dans l'expression des yeux, celui-là n'a certainement pas suivi un dressage classique.

▲

Lipizzaner um 1700: Vom bedeutenden englischen Pferdemaler George Hamilton, der lange Zeit als Hofmaler Karls VI. arbeitete, stammt eine Reihe von Darstellungen der Hohen Schule. Links oben: „Cerbero, ein extra guter Springer", in der Kapriole. Links unten: Die Croupade. Rechts oben: Die Courbette. Rechts unten: Die Pirouette.
Lipizzaners c. 1700: Among the works of the well-known Scotish painter of horses, George Hamilton, who worked for some time as painter to the court of Charles VI, there is a sequence of depictions of the High School. Upper left, "Cerbero,

an uncommonly fine jumper", in the capriole. Lower left, the croupade. Upper right, the courbette. Lower right, the pirouette.
Lipizzans vers 1700. Tableaux de George Hamilton, le célèbre peintre de chevaux qui avait travaillé longtemps à la cour de Charles VI. Nous lui devons plusieurs représentations d'airs de haute école. En bas, à gauche: «Cerbero, un sauteur particulièrement douè», dans une cabriole. Cidessus, la courbette; en bas de la double page en couleurs qui suit, à gauche, la croupade et à droite, la pirouette.

Uniform, Gerte, Sattel- und Zaumzeug vor dem Hintergrund des Gemäldes „Das Mohrenstechen" von Ignaz Duvivier, um 1780.
Uniform, crop, saddle, and bridle, "Mohrenstechen" ("Moor baiting"), a painting by Ignaz Duvivier (c. 1780), in the background.
Tableaux d'Ignaz Duvivier «Le piqué de Maures» (vers 1780). Au premier plan: uniforme, gaule et harnachement.

▲

Unterricht: Während der Wintermonate finden in der Spanischen Reitschule keine Vorführungen statt. Hauptaugenmerk wird in dieser Zeit auf die Ausbildung der Nachwuchspferde und der jungen Reiter gelegt.
Instruction: The Spanish Riding School gives no performances during the winter months. Attention is focused at this time on the training of the younger horses and of beginning riders.
Enseignement. Pendant les mois d'hiver l'Ecole Espagnole ne donne pas de présentations. On consacre ce temps à la formation des cavaliers et des jeunes chevaux.

Die Stallburg

The Stallburg
Les écuries

Die Stallburg: Einer der schönsten Innenhöfe Wiens, der aus der Zeit der Renaissance stammende Hof der Stallburg. Im untersten Geschoß liegen die Stallungen der Lipizzaner.
The Stallburg: One of Vienna's loveliest courtyards, the arcaded inner court of the Stallburg, built during the renaissance. The Lipizzaners' stables occupy the ground floor.
La Stallburg. Sa cour, de style renaissance, est l'une des plus belles de Vienna. Au rez-de-chaussée se trouvent les écuries des Lipizzans.

◀

▶

Die Sattelkammer: Die Schulsättel, meist nur an Sonntagen verwendet, nehmen die obersten Reihen ein und werden mit einer eigens zu diesem Zweck konstruierten Sattelgabel heruntergehoben. Der täglichen Morgenarbeit dienen die bequem zugänglichen Pritschen in den untersten Reihen.
The tack room: The school saddles, generally used only in performances, are on the upper rows, and must be lifted down with a specially constructed saddle-fork. On the more accessible lower hooks are the saddles used in daily training.
La sellerie. On ne se sert d'habitude des selles d'école que le dimanche. Elles sont alignées dans la rangée supérieure et il faut une fourche spéciale pour les descendre. En bas, et très accessibles, se trouvent les selles pour le travail matinal.

Seit 1565 waren im Gebäude der Stallburg die kaiserlichen Leibpferde untergebracht, die später in die Fischer von Erlachschen Hofstallungen übersiedelten. Unter der Regierung Karls VI. zogen die Lipizzaner endgültig in diesen prächtigen Renaissancebau ein. In den Geschossen oberhalb der Stallungen wohnten schon in frühester Zeit immer wieder Mitglieder des Erzhauses. Hier waren auch jene Sammlungen untergebracht, die heute den Grundstock des Kunsthistorischen Museums bilden.

The horses of the imperial guard were moved into the building in 1565, and remained until the new court stables were built for them by Fischer von Erlach. It was during the reign of Charles VI that the Lipizzaners were given a permanent home in this splendid Renaissance palace. Members of the imperial family lived in the upper floors from the very beginning. The collection which today forms the core of the exhibits of the Kunsthistorisches Museum was formerly housed in the Stallburg.

◀

Blick in die Stallungen: Oben links: Sorgfältig löst der Pferdepfleger die „Droppings" mit der Gabel aus dem Stroh — Pflege des Hengstes Maestoso Salva. Oben rechts: Eine psychologisch interessante Bittgeste Maestoso Stornellas, die nicht von Menschen gelehrt wurde. Unten links: Ein weißes Pferd weiß zu erhalten gelingt manchmal, indem man mit Holzkohle nachhilft. Unten rechts: Maestoso Stornella, bereit zur Arbeit.
Life in the stalls: Upper left: A groom conscientiously removing droppings from the bedding straw with a pich-fork. The stallion is Maestoso Salva. Upper right: Maestoso Stornella has developed his own remarkable way of begging. Lower left: It is sometimes possible to keep a horse white by using charcoal. Lower right: Maestoso Stornella is ready to work.
Coup d'œil sur les écuries (page de quatre photos en couleurs). En haut, à gauche, le palefrenier enlève consciencieusement le crottin de la paille. C'est l'étalon Maestoso Salva. En haut à droite: Ce geste quémandeur est très intéressant du point de vue psychologique car ce ne sont pas les hommes qui l'ont appris au cheval. En bas, à gauche, on doit avoir recours parfois au charbon de bois pour conserver la blancheur de la robe. En bas, à droite: Maestoso Stornella est prêt à travailler.

Les chevaux de la Garde impériale étaient hébergés depuis 1565 dans l'édifice du Château-Ecurie puis on les transféra dans les écuries impériales construites par Fischer von Erlach. Sous le règne de l'empereur Charles VI, le Château-Ecurie (ainsi nomme-t-on la Stallburg dans d'anciens documents rédigés en français), ce magnifique bâtiment construit dans le style renaissance, devint définitivement la résidence des Lipizzans. Les étages qui se trouvent au-dessus des écuries ont été souvent occupés par des membres de la famille impériale. La collection de tableaux qui est à la base de l'actuel musée des Beaux-Arts de la ville de Vienne était rassemblée également dans ce palais.

▶

Vor der Morgenarbeit: Mit Sattel, Kapp- und Wischzaum wartet Conversano Beja auf den Pferdepfleger, der ihn in die Winterreitschule führen soll.
Before morning exercise: Saddled and cavessoned, Conversano Beja waits for a groom to lead him to the Winter Riding School.
Avant le travail matinal. Conversano Beja, sellé et enrêné, attend le palefrenier qui le conduira au manège d'hiver.

Die Vorführung
A Performance
Présentations

I Junge Hengste

Acht junge Hengste unter dem Reiter betreten die Reitbahn. Die Pferde stehen am Ende ihres ersten oder inmitten ihres zweiten Ausbildungsjahres. Es soll hier das in gleichmäßigen, ruhigen, natürlichen Tritten im Trab und Galopp vorwärtsstrebende, ohne Hast gehende, psychisch und physisch gelöste Pferd gezeigt werden.

II Alle Gänge und Touren der Hohen Schule

Die schwierigsten, jedoch stets mit der natürlichen Gehmechanik des Pferdes in Einklang stehenden Übungen werden von vier Hengsten gezeigt, die eine dreijährige, harte Ausbildung hinter sich haben.

III Pas de deux

Von zwei Reitern wird ein Programm spiegelbildlich geritten.

IV Arbeit an der Hand

Die Arbeit an der Hand wird so genannt, weil der Reiter zu Fuß das Pferd mit einer Hand am Führzügel oder an der Longe führt und mit der Gerte oder der Peitsche in der anderen Hand zur Durchführung der entsprechenden Übung auffordert. Diese Arbeit dient der Vorbereitung des Pferdes auf die Piaffe; und diese wieder ist Ausgangspunkt für die „Schulen über der Erde".

V Am langen Zügel

Die Arbeit „am langen Zügel" verlangt ein besonders fein gerittenes Pferd, das alle unter dem Reiter verlangten Gänge der Hohen Schule auch ohne Reiter — auf bloße Zügel- und leichte Gertenhilfe hin — vollführt.

VI Schulen über der Erde

In der alten, klassischen Form werden sie nur mehr an der Spanischen Reitschule gezeigt; die Levade (Pesade), die Courbette und Kapriole.

VII Die Schulquadrille

Die Schulquadrille, oft als „Ballett der weißen Hengste" bezeichnet, erinnert an die klassische Zeit des Rittertums, an „Rosseballette" und „Karussells" der Vergangenheit. Zu Musik vollführen acht oder zwölf Schulhengste gleichzeitig oder nacheinander Bewegungen nach einer bestimmten Choreographie.

◀ *Junge Hengste :*
Trab — Tourenwechsel.
Young stallions :
Changing leads at the trot.
Jeunes étalons.
Changement de main au trot.

Alle Gänge und Touren der Hohen Schule :
Halber Travers links: deutliches Übertreten der diagonalen Beinpaare, leichte Biegung um den linken Schenkel. Kopf senkrecht, zwischen den Ohren der höchste Punkt.
Steps and figures of the High School :
Half pass to the left: the diagonal pairs of legs step firmly across, with a slight bending around the rider's left leg. The head is perpendicular, the poll being its highest point.
Toutes les allures et tous les airs de haute école.
L'appuyer à gauche. On voit nettement les diagonaux croiser par-dessus. Le corps est légèrement plié autour de la jambe gauche, la tête est à la verticale, le point le plus élevé entre les oreilles.

Piaffe: Der linke Vorderhuf in halber Höhe der Röhre des Standbeines, der rechte Hinterfuß in der Höhe des Fesselkopfes des linken Hinterbeines.
Piaffe: The left forefoot is raised to the middle of the cannon bone of the supporting leg, the right hind foot to the level of the left fetlock.
Le piaffer. Le sabot antérieur gauche est à mi-hauteur du canon de l'antérieur posé au sol, le postérieur droit à hauteur du boulet du postérieur gauche.

Spanischer Tritt (Passage): Das Pferd tritt gut unter das Gewicht.
"Spanischer Tritt" (passage): The horse steps well under his weight.
Le passage, «Spanischer Tritt». Le cheval s'engage vivement sous le poids.

▲
Die Pirouette in den einzelnen Phasen.
The separate phases of the pirouette.
La pirouette dans ses différentes phases.

▲
Der klassisch korrekte starke Trab: Favory Alora.
A classically correct extended trot: Favory Alora.
Le trot classique s'exécute énergiquement. Favory Alora.

▲
Pas de deux :
Spanischer Tritt in der Wendung bei den Pilaren.
Pas de deux :
Passage in the turn at the pillars.
Pas de deux.
Un tourner au passage près des piliers.

Arbeit an der Hand:
Piaffe in den Pilaren unter dem Reiter.
Work in hand:
Piaffe between the pillars, with a rider.
Travail à la main.
Le piaffer dans les piliers, sous le cavalier.

Levade an der Hand. ▶
Levade in hand.
Levade à la main.

▲
Arbeit am langen Zügel:
Siglavy Modena in der Piaffe.
On the long rein:
Siglavy Modena performing a piaffe.
Travail aux longues rênes.
Siglavy Modena au piaffer.

Schulen über der Erde:
Sie werden ohne Bügel geritten, damit der Reiter einen engeren Kontakt mit dem Pferderücken hat und jeder Gleichgewichtsveränderung rascher begegnen kann.
Schools above the ground:
These are ridden without stirrups, so that the rider can have closer contact with the horse's back, and can respond more quickly to any threatened loss of balance.
Les airs relevés.
Le cavalier monte sans étriers pour obtenir avec le dos du cheval un contact plus étroit et pour répondre promptement à tout changement d'équilibre.

Pluto Palmira in der Courbette: Die einzelnen Phasen eines Sprunges; der Höhepunkt.
Pluto Palmira performing a courbette; the separate phases of a leap; the climax.
Pluto Palmira dans la courbette: les différentes phases d'un saut. Le sommet.

Die Levade: Das in den Hanken tief gebogene Pferd erhebt sich auf den Hinterbeinen bis zu 45 Grad vom Boden und verharrt in dieser Stellung, je nach Geschicklichkeit, mehrere Sekunden lang. Die Vorderbeine sind gut angezogen. Levade im Saal: Neapolitano Nautica.
The levade: the horse bends his haunches deeply and raises his forehand until his body reaches an angle of up to forty-five degrees, holding this pose for as many seconds as his strength and skill allow. The forelegs are drawn in close to his body. Levade in the manège: Neapolitano Nautica.
La levade. Le cheval s'élève sur ses postérieurs à un angle de quarante-cinq degrés; l'arrière-main très fléchie il reste dans cette position, avec les antérieurs retroussés, pendant quelques secondes, selon son habilité. Les antérieurs sont haut levés. La levade au manège: Neapolitano Nautica.

▲
Doppelseite: Conversano Valdamora in der Kapriole.
Conversano Valdamora in the capriole.
Double page: Conversano Valdamora dans une cabriole.

I Young stallions
Eight riders on young stallions enter the arena. These horses are just finishing their first year or are in their second year of training. Here we show physically and mentally relaxed horses performing regular, unhurried, natural paces at the trot and canter on straight and curved lines.

II All steps and figures of the High School
The most difficult exercises, though still based on the horse's natural way of moving, are now demonstrated by four stallions that have completed three years of schooling.

III Pas de deux
The two riders execute an absolutely symmetrical series of figures.

IV Work in hand
Here the rider stands on the ground, leading the horse with one hand by the lead rein or longe while calling for specific movements with a whip held in the other. Such exercise prepares the horse for the piaffe, the basis of all the "schools above the ground".

V On the long rein
The wild beauty of a horse galloping freely across a pasture is reflected in the graceful carriage and elegant movements of this highly-trained animal. Only a horse that has been ridden with an especially light touch can be used, for here he must perform all the exercises of the High School without a rider, guided entirely by a long rein and gentle aids from the crop.

VI Schools above the ground
Today they are shown in their truly classical form only at the Spanish Riding School. The levade, the courbette, the capriole.

VII The school quadrille
Often called the "Ballet of the White Stallions", the school quadrille evokes the horse ballets and carrousels of the past. Eight or twelve school horses perform in turn or simultaneously the movement of a carefully choreographed sequence, the accompanying music reflecting the rhythm of their various gaits.

Jeunes étalons

Huit étalons montés entrent dans le manège. Ils sont à la fin de leur première année de dressage ou au cours de la seconde. Moralement et physiquement décontractés les jeunes animaux exécutent des foulées régulières, calmes et naturelles, tant au trot qu'au galop, vers l'avant, sur la ligne droite ou sur le cercle.

I Allures et airs de haute école

Les exercices les plus difficiles, mais toujours en harmonie avec le mécanisme du mouvement naturel chez le cheval, y sont présentés par quatre étalons ayant accompli trois années de dressage.

II Pas de deux

Ainsi deux cavaliers se conforment à un programme symétrique déterminé, dont la présentation doit être harmonieuse, précise, et d'un rythme semblable.

IV Travail à la main

Ce nom vient du fait que le cavalier est à pied et conduit le cheval avec une rêne de conduite ou une longe. Il l'invite à faire les exercices au moyen d'une gaule ou d'une cravache qu'il tient de l'autre main. C'est un travail de préparation au piaffer, qui est la base de tous les airs relevés: levade, courbette et cabriole.

V Présentations aux longues rênes

Le travail aux longues rênes exige un cheval dressé à fond et se laissant conduire par les seules rênes, à l'aide de la gaule, pour exécuter sans cavalier les allures et les airs de haute école qu'il a appris sous ce dernier.

VI Airs relevés

De nos jours ces airs ne sont conservés dans leur forme classique qu'à l'Ecole Espagnole de Vienne.

VII Quadrille d'école

Souvent appelé ballet des étalons blancs il est un souvenir de la chevalerie, des ballets équestres et des anciens carrousels. Sur une musique dont le rythme correspond aux différentes allures, huit ou douze chevaux d'école exécutent en même temps ou successivement les mouvements suivant une chorégraphie précise.

Die Kapriole: Das Pferd schnellt aus einer gut vorgetragenen Piaffe — vom Beschauer aus gesehen — mit allen vier Beinen beinahe gleichzeitig vom Boden ab und streicht (schlägt aus) in dem Augenblick, in dem es sich in der Horizontalen befindet.
The capriole: The horse springs up out of a skillful piaffe, seemingly with all four legs simultaneously, and kicks back at the moment in which his body is suspended horizontally in the air. The forelegs are drawn in close.
La cabriole. Le cheval se détache du sol en partant d'un piaffer porté bien en avant. Vu par le spectateur, il détache presque simultanément ses quatre membres et lance une ruade au moment où il se trouve à l'horizontale, les antérieurs bien retroussés.

◀ *Die Schulquadrille:*
Einreiten zur Schulquadrille.
The school quadrille:
Entry of the horses for the quadrille.
Le quadrille d'école.
Entrée des cavaliers à cheval.

▲
Die dreifache Verschiebung im Galopp.
Three counter-changes at a canter.
Triple déplacement au galop.

▲
Die Verschiebung zur Mittellinie.
Counter-change to the centerline.
Déplacement vers la ligne du milieu.

▲
Die Kreuzfigur im Galopp.
The cross figure at the canter.
Figure croisée au galop.

▲
Aufmarsch und Gruß.
Lining up and salute.
Alignement et salut.

▲
Detail aus der Kreuzfigur.
Detail of the cross figure.
Détail de la figure croisée.

Schönbrunn

Aufmarsch von vier Lipizzanern unter dem Reiter : Im Hintergrund die 1775 vollendete, nach einem Entwurf vom Ferdinand von Hohenberg erbaute Gloriette.
Four Lipizzaners and their riders : In the background is the Gloriette, built in 1775 after a design by Ferdinand von Hohenberg.
Arrivée de quatre Lipizzans, sous les cavaliers. Au fond, la Gloriette, achevée en 1775, d'après un plan de Ferdinand von Hohenberg.

Auf eine vierhundertjährige, ungebrochen Tradition blickt die Institution der Spani schen Reitschule zurück. Unter den Fest lichkeiten, die (1972) aus diesem Anla einem internationalen Publikum dargebote wurden, sind besonders die Vorführunge der klassischen Reitkunst auf dem Plat zwischen Schloß und Gloriette in Schön brunn zu erwähnen. Auch hier ist, wie i der Winterreitschule, der ideale barock Rahmen gegeben.

Blick aus einer der Seiten-alleen auf das Schloß Schönbrunn : Favory Basilica in der Passage.
View of Schönbrunn palace down one of the radiating malls : Favory Basilica performing the passage.
Vue d'une contre-allée vers le château. Favory Basilica au passage.

Favory Basilica in der Piaffe.
Favory Basilica in a piaffe.
Favory Basilica au piaffer.

Vor dem Blumenparkett des Schönbrunner Schloßparks : Favory Theodorosta am langen Zügel in der Piaffe.
In front of the floral plantings in the palace gardens of Schönbrunn : Favory Theodorosta in a piaffe on the long rein.
Devant les parterres de fleurs du parc de Schönbrunn : Favory Theodorosta aux rênes longues exécutant un piaffer.

The Spanish Riding School as an institutio can look back on an unbroken traditio four hundred years old. Among th performances offered to an internationa public on the occasion of the school' jubilee, the displays of classical riding i the grounds between the Gloriette and th palace at Schönbrunn are particularl stunning, for this, like the Winter Ridin School, is an ideal baroque setting.

Vor der Prunkfassade des Schlosses Schönbrunn : Vier Reiter im halben Travers nach rechts.
In front of the stately facade of Schönbrunn palace : four riders performing a half pass to the right.
Devant la somptueuse façade du château de Schönbrunn. Quatre cavaliers dans un appuyer vers la droite.

Neapolitano Nautica in der Levade.
Neapolitano Nautica in a levade.
Neapolitano Nautica dans une levade.

L'Ecole Espagnole est une institution qui a pendant quatre siècles, sauvegardé le traditions. Parmi les festivités offertes a public international il convient de men tionner notamment les présentations d'équi tation classique dans le parc du château d Schönbrunn. On retrouve ici, comme a manège d'hiver, le somptueux cadr baroque, parfaitement adapté.

Julius von Blaas
Wien 1890

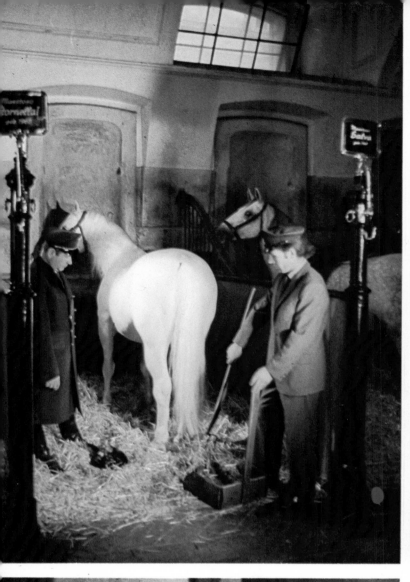

COURBETTE

LEVADE

CAPRIOLE